S0-BIO-643

LA COCINA
Y LA DIABETES

EDICIONES
edris

Jacques Lafond
La cocina y la diabetes - 1a. ed. - Buenos Aires: Edris, 2006.
72 p.; 25x17 cm.

ISBN 950-838-061-6

1. Recetas de Cocina-Diabéticos. I. Título
CDD 641.563 14

Primera edición: junio de 2006

I.S.B.N.-10: 950-838-061-6
I.S.B.N.-13: 978-950-838-061-6

Se ha hecho el depósito que establece la Ley 11.723

Bartolomé Mitre 3749 - Ciudad Autónoma de Buenos Aires
República Argentina
Impreso en Argentina - Printed in Argentina

Se terminó de imprimir en MUNDO GRÁFICO S.R.L., Zeballos 885,
Avellaneda, en junio de 2006.

Diabetes y alimentación

Dado que cada diabético es un caso particular que debe supervisarse no es tarea sencilla organizar un recetario de comidas. Para la realización y degustación de cualquiera de las recetas, el diabético y su entorno familiar deben conocer, según el régimen dietético dispuesto por su médico, la cantidad de calorías que puede ingerir en cada jornada y su distribución en cada comida.

Cabe mencionar que el régimen del diabético requiere una alimentación ordenada, tanto en cantidad y calidad de alimentos como en los horarios de las comidas.

El régimen dietético es una necesidad para todos los diabéticos pero su composición varía, no sólo por la condición particular del individuo, sino también por el tipo de diabetes que lo aqueja.

Las recetas que se incluyen en este libro jamás deben ser utilizadas sin recurrir a la consulta médica o al nutricionista, quienes serán los encargados de supervisar el régimen alimentario adecuado.

Para la persona insulino-dependiente, el régimen debe respetar los siguientes principios:

- EL HORARIO DE COMIDAS DEBE SER REGULAR.
- LA COMPOSICIÓN DE LA COMIDA DIARIA DEBE RESPETAR EL NIVEL INDICADO DE CALORÍAS PARA CADA JORNADA.
- ES CONVENIENTE FRACCIONAR LA ALIMENTACIÓN DIARIA EN TRES COMIDAS Y DOS ENTREMESES LIVIANOS, UNO ENTRE EL DESAYUNO Y EL ALMUERZO, Y EL OTRO ENTRE ÉSTE Y LA MERIENDA.

Las calorías

Los seres humanos necesitan una determinada cantidad de energía para su supervivencia. Esta se obtiene por medio de los alimentos en forma de calorías. Esas calorías deben ser provistas por una alimentación variada y completa que, además, satisfaga los requerimientos de vitaminas y minerales que el cuerpo necesita.
Sin embargo, la cantidad de calorías que necesita un individuo varía según la edad, el sexo, la contextura física, las diferentes actividades diarias (trabajo y esparcimiento) y el estado de salud general.

En la cocina del diabético no puede faltar una balanza y un medidor de líquidos, ya que es muy importante para su régimen dietético, la medición de los productos que use.

MUY IMPORTANTE

Todas las recetas incluidas en esta edición sirven para obtener aproximadamente cuatro porciones.
La cantidad de calorías indicada en cada caso es aproximada y se refiere a la cantidad de calorías de cada una de esas porciones.

ENTRADAS Y SOPAS

Ensalada caprese

168 calorías por porción

⦿ Ingredientes

Mozzarella	200 g
Tomates perita	4
Aceite de oliva	cantidad necesaria
Albahaca fresca	8 ó 10 hojas
Sal y pimienta	a gusto

⦿ Preparación

Cortar la mozzarella y los tomates en tajadas de 3 mm de grosor, aproximadamente.

Disponer las tajadas en el plato, en forma intercalada, una junto a la otra.

Rociar con aceite de oliva y salpimentar.

Distribuir por encima de las tajadas las hojas de albahaca, picadas.

Soufflé de acelga

205 calorías por porción

Ingredientes

Acelga	400 g
Cebollas	2
Claras de huevo	4
Nuez moscada	a gusto
Aceite	10 cucharadas
Queso rallado	4 cucharadas

Preparación

Cocinar la acelga en una olla, con un chorrito de agua. Escurrirla bien y picarla finamente.
Pelar y picar las cebollas, y rehogarlas en una sartén donde se habrá calentado la mitad del aceite.
Mezclar la acelga con las cebollas, el queso rallado, y sazonar con nuez moscada.
Batir las claras a punto nieve bien firme y agregarlas a la preparación anterior, con movimientos suaves y envolventes.
Aceitar el interior de cuatro vasijas pequeñas de barro o similar, aptas para horno, y cocinar en horno moderado hasta que se dore la cubierta.

Paltas rellenas

140 calorías por porción

⦿ Ingredientes

Paltas	2
Hinojos	4
Aceitunas negras	4
Sal y pimienta	a gusto

⦿ Preparación

Quitarles el carozo a las paltas y retirar toda la pulpa, con cuidado de no romper las cáscaras.
Procesar los bulbos de hinojo y mezclarlos con la pulpa de palta.
Salpimentar y rellenar las mitades de palta con este puré.
Filetear las aceitunas para decorar.

Caviar de berenjena

300 calorías por porción

⊙ Ingredientes

Pan de molde integral	4 rebanadas
Berenjenas	2
Cebollas de verdeo	4
Ajo	4 dientes
Aceite de oliva	3 cucharadas
Vinagre de manzana	2 cucharadas
Tomillo	a gusto
Sal y pimienta	a gusto
Hojas de perejil	para decorar

⊙ Preparación

Cocinar las berenjenas en horno máximo hasta que estén bien tiernas.
Sacarles la piel.
Procesar la pulpa de berenjena junto con las cebollas de verdeo, los dientes de ajo pelados, el aceite, el vinagre, y tomillo. Salpimentar a gusto.
Cortar círculos de pan integral y tostarlos en el horno.
Untar con el caviar cada tostada de pan integral. Decorar con hojas de perejil.

Rosetas duquesa

180 calorías por porción

⊙ Ingredientes

Papas	3
Margarina light	50 g
Sal y pimienta	a gusto
Nuez moscada	a gusto
Aceite	cantidad necesaria

⊙ Preparación

Pelar las papas, cortarlas en cubos y hervirlas en una olla con agua hasta que estén cocidas.
Retirar y pisar hasta obtener un puré homogéneo.
Mezclar el puré con la margarina, salpimentar y agregar nuez moscada, a gusto.
Introducir el puré en una manga de boquilla gruesa rizada.
Aceitar una placa para horno y practicar con la manga rosetones de unos 3 cm de altura.
Cocinar en horno moderado unos diez minutos.

Copa de camarones

130 calorías por porción

⊙ Ingredientes

Camarones cocidos y pelados	250 g
Queso blanco descremado	4 cucharadas
Salsa golf	4 cucharadas
Huevos	2
Aceitunas negras	4
Perejil picado	2 cucharadas
Apio	4 tallos
Limón	1
Sal y pimienta	a gusto

⊙ Preparación

Distribuir los camarones en cuatro copas y rociarlos con el jugo del limón. Cortar los tallos de apio en rodajas delgadas y distribuirlos también en las copas. Cocinar los huevos, picarlos finamente y distribuirlos en las copas. Salpimentar. Mezclar el queso blanco con la salsa golf y colocar un copo sobre cada copa. Espolvorear con el perejil picado y decorar con una aceituna negra.

Salpicón criollo

380 calorías por porción

⦿ Ingredientes

Papas	3
Cebollas	3
Carne de ternera cocida magra	250 g
Huevos	3
Ajo y perejil picados	1 cucharada
Aceite de oliva	a gusto
Vinagre de manzana	a gusto
Sal y pimienta	a gusto

⦿ Preparación

Pelar las papas, cortarlas en cubos de tamaño mediano y cocinarlas en una olla con agua y sal, hasta que estén apenas tiernas, y firmes. Retirar y reservar hasta que se enfríen.

Cocinar los huevos, pelarlos y picarlos en forma gruesa.

Pelar las cebollas y picarlas también en forma gruesa. Pasarlas unos instantes por agua caliente para suavizar su sabor.

Cortar la carne en dados.

Colocar todos estos ingredientes en una ensaladera y espolvorear con el ajo y perejil picados.

Aderezar con sal, pimienta, aceite y vinagre, y mezclar cuidadosamente.

Sopa de tomates con hierbas

110 calorías por porción

⊙ Ingredientes

Tomates perita	8
Cebollas	2
Ajo	4 dientes
Aceite de girasol	2 cucharadas
Caldo de carne desgrasado	2 tazas
Queso rallado de bajo contenido graso	2 cucharadas
Orégano, tomillo y romero	a gusto
Sal y pimienta	a gusto

⊙ Preparación

Pelar los tomates y procesar su pulpa. Picar las cebollas y los dientes de ajo. Calentar una olla pequeña con un chorrito de aceite. Añadir el ajo y la cebolla y saltearlos durante unos momentos.
Añadir la pulpa y condimentar con sal, pimienta, orégano, tomillo y romero. Continuar cocinando a fuego lento durante cinco minutos. Incorporar el caldo y dejar que se cocine a fuego lento unos diez minutos más.
Pasar la sopa por el tamiz y, al servir, espolvorear con el queso rallado.

Sopa crema de espárragos

430 calorías por porción

⦿ Ingredientes

Espárragos	4 atados
Margarina light	100 g
Cebollas	3
Harina	8 cucharadas
Leche descremada	1 l
Sal	a gusto

⦿ Preparación

Lavar los espárragos y ponerlos a cocinar en una olla con agua y sal. Retirar del agua, escurrirlos, cortarles las puntas y reservar el agua de la cocción.

Picar finamente las cebollas y dorarlas en una olla en la que se habrá fundido la margarina.

Incorporar la harina, revolver bien y agregar la leche, de a poco, sin dejar de revolver, para obtener una crema espesa. Cocinar a fuego mínimo agregando de a poco el agua de cocción de los espárragos, en cantidad necesaria para obtener un líquido semiespeso.

Tamizar esta preparación, verterla de nuevo en la olla y agregar las puntas de espárragos.

Cocinar unos momentos para que las puntas se calienten y servir.

Sopa rápida de pepinos

150 calorías por porción

⊙ Ingredientes

Pepinos	750 g
Romero	a gusto
Caldo de verduras	1 l
Jamón cocido magro	6 tajadas delgadas
Jugo de limón	1 cucharada
Sal y pimienta blanca	a gusto

⊙ Preparación

Cortar un trozo de pepino de unos 15 cm de largo y reservarlo. Pelar el resto, cortarlos por la mitad a lo largo y sacarles las semillas. Cortar en dados de 2 cm.
Cocinar a fuego lento los dados de pepino junto con el romero en el caldo de verduras, con la olla tapada, durante unos veinte minutos.
Cortar el jamón en trocitos.
Lavar el trozo de pepino reservado, secarlo y rallarlo sin pelarlo.
Agregar a la sopa el pepino rallado, el jugo de limón, sal y pimienta. Revolver bien y cocinar hasta que suelte el hervor.

Gazpacho

155 calorías por porción

Ingredientes

Pepino	1
Ají verde	1
Apio	4 tallos
Tomates perita	4
Ajo	4 dientes
Aceite de oliva	2 cucharadas
Vinagre	2 cucharadas
Pan tostado	4 rebanadas
Albahaca picada	1 cucharada
Sal y pimienta	a gusto

Preparación

Pelar los tomates, trocearlos y colocarlos en el vaso de la licuadora.
Incorporar el resto de los ingredientes, excepto los tallos de apio, y licuar hasta obtener una preparación homogénea.
Servir en vasos altos y colocar dentro de cada uno un tallo de apio.

CARNES BLANCAS Y ROJAS

Guiso rápido de pollo, arroz y pimentón

300 calorías por porción

Ingredientes

Pechugas de pollo	2
Arroz cocido	2 tazas
Cebollas de verdeo	4
Ajo	4 dientes
Aceite de oliva	6 cucharadas
Pimentón	2 cucharadas al ras
Tomillo	a gusto
Salsa de soja	4 cucharadas
Sal y pimienta	a gusto

Preparación

Salpimentar las pechugas y cocinarlas al vapor o en el horno. Retirarlas y cortar la carne en cubos.
Picar los dientes de ajo y cortar en rodajas delgadas las cebollas de verdeo.
Calentar el aceite de oliva en una olla y rehogar allí las cebollas y el ajo picado.
Incorporar el pollo y el arroz, cocinar unos instantes y verter la salsa de soja.
Agregar el pimentón y el tomillo, revolver y cocinar unos momentos más.

Pechugas a la manzana

375 calorías por porción

⦿ Ingredientes

Pechugas de pollo	4
Ajo	4 dientes
Jugo de limón	8 cucharadas
Ralladura de cáscara de limón	2 cucharadas
Aceite	4 cucharadas
Tomillo	a gusto
Caldo de ave desgrasado	1/2 taza
Manzanas verdes	3
Vino blanco seco	4 cucharadas
Margarina light	75 g
Sal y pimienta blanca	a gusto

⊙ Preparación

Pelar los dientes de ajo, machacarlos y mezclarlos con el jugo de limón, el aceite y el tomillo. Verter este adobo sobre las pechugas.
Dejar las pechugas en adobo de 4 a 6 horas, dándolas vuelta de tanto en tanto para que se impregnen de los jugos de manera pareja.
Transcurrido ese tiempo, retirarlas, escurrirlas bien y frotarlas con sal y pimienta.
Calentar la mitad de la margarina en una sartén y dorar las pechugas de ambos lados.
Añadir la mitad del caldo y dejar que la carne se cocine a fuego bajo durante treinta minutos.
Mientras tanto, pelar las manzanas y cortarlas en rodajas de 1 cm de espesor.
Calentar el resto de la margarina en una sartén y dorar los aros de manzana.
Disponer las pechugas junto con las manzanas anteriormente preparadas.
Mezclar el fondo de cocción con el resto del caldo y el vino blanco. Pasarlo por el tamiz. Darle un hervor, retirar la salsa del fuego y añadirle la ralladura de cáscara de limón.
Condimentar la salsa con sal y pimienta. Verterla sobre las pechugas.

Peceto marinado

495 calorías por porción

⦿ Ingredientes

Peceto	1 kg
Mostaza	8 cucharadas
Romero	8 ramitas
Vino tinto	1/2 l
Caldo de carne desgrasado	1 l
Ajo	4 dientes
Cebollas	4
Zanahorias	4
Puerros	4
Hongos secos	50 g
Sal y pimienta	cantidad necesaria
Aceite	cantidad necesaria

⦿ Preparación

Quitarle la grasa al peceto, salpimentarlo y untarlo con la mostaza.
Pelar los dientes de ajo y machacarlos. Pelar y cortar las cebollas en rodajas, y hacer lo mismo con las zanahorias.
Limpiar y cortar los puerros en rodajas.
En un bol, mezclar el vino con el caldo e incorporar los hongos secos y las ramitas de romero.
Agregar las verduras y la carne. Llevar a la heladera hasta el día siguiente.
Retirar la carne y dorarla en una olla con un chorrito de aceite.
Calentar el líquido de maceración con los vegetales y llevarlo a punto de ebullición. Incorporar el peceto y cocinar durante treinta minutos, o hasta que la carne esté cocida.
Servir acompañado de los vegetales.

Mini matambre clásico

315 calorías por porción

⦿ Ingredientes

Matambre	1 kg
Leche descremada	2 tazas
Mostaza	4 cucharadas
Cebollas	2
Espinaca	2 tazas
Zanahorias	3
Huevos	3
Ají morrón	1
Caldo de verduras	3 tazas
Vino blanco	2 tazas
Sal y pimienta	cantidad necesaria

⦿ Preparación

Limpiar bien el matambre. Salpimentarlo y dejarlo en remojo con la leche por un par de horas.
Retirarlo, untarlo con la mostaza y llevar a la heladera.
Cortar las cebollas y las zanahorias en rodajas delgadas; y el ají, en fina juliana.
Cocinar los huevos hasta el punto de huevo duro y picarlos grueso.
Mezclar bien todos los vegetales y distribuirlos sobre el matambre junto con el huevo picado.
Arrollar la carne y atar con un hilo de algodón. Disponer en una fuente para horno junto con el caldo y el vino.
Cocinar durante 1 hora aproximadamente. Servir cortado en rodajas.

Pastel de carne y calabaza

342 calorías por porción

⦿ Ingredientes

Carne picada magra	1 kg
Cebollas	2
Ají morrón	1/2
Ají amarillo	1/2
Caldo de verduras	1 pocillo
Huevos	2
Aceitunas	50 g
Puré de calabaza	4 tazas
Aceite de oliva	cantidad necesaria
Sal y pimienta	cantidad necesaria
Ciboulette	para decorar

⦿ Preparación

Picar las cebollas y los ajíes. Cocinar los huevos hasta que lleguen al punto de huevo duro y picar las aceitunas.
Calentar el aceite en una sartén y rehogar allí las cebollas y los ajíes.
Cuando las cebollas estén transparentes, incorporar la carne, el caldo y cocinar revolviendo de tanto en tanto, hasta que la carne esté apenas cocida.
Retirar del fuego y agregar los huevos duros picados y las aceitunas. Salpimentar y revolver.
Colocar esta preparación en una fuente para horno y cubrirla con el puré de calabaza. Distribuir por encima un chorrito de aceite y llevar a horno moderado, hasta que la cubierta esté ligeramente dorada. Decorar con la ciboulette.

Carne estofada con champiñones

570 calorías por porción

⊙ Ingredientes

Carne de ternera magra	750 g
Champiñones	10 ó 12
Cebollas de verdeo	4
Puerros	4
Cebollas	4
Jugo de limón	1 cucharada
Caldo de carne desgrasado	1 l
Tomillo	a gusto
Laurel	a gusto
Fécula de maíz	1 cucharada
Sal y pimienta	cantidad necesaria

⊙ Preparación

Desgrasar la carne y cortarla en cubos. Salpimentarlos y reservarlos.

Picar las cebollas de verdeo (incluso las hojas verdes), las cebollas y el blanco de los puerros.

Rehogarlos en la mitad del caldo durante unos tres o cuatro minutos.

Incorporar los trozos de carne y mezclar bien, cocinando a fuego fuerte durante cinco minutos.

Agregar el resto del caldo, el jugo de limón, el tomillo y el laurel. Salpimentar a gusto.

Cuando la preparación rompa el hervor, bajar el fuego a moderado y agregar los champiñones, fileteados previamente. Cocinar durante unos diez minutos más.

Añadir la fécula de maíz disuelta en agua unos segundos antes de retirar del fuego.

Cuando la salsa espese, apagar el fuego y dejar la preparación en la olla tapada durante unos minutos, antes de servir.

Lomo con pasta de comino

350 calorías por porción

⊙ Ingredientes

Lomo de ternera	1 kg
Calabaza	750 g
Berenjenas	3
Aceite de oliva	4 cucharadas
Jugo de limón	1 pocillo
Cilantro	a gusto

Pasta de comino

Semillas de comino	4 cucharadas
Comino molido	4 cucharadas
Ajo	4 dientes
Sal	a gusto
Aceite de oliva	4 cucharadas
Cilantro o perejil picado	4 cucharadas
Jugo de limón	1 pocillo

⦿ Preparación

Colocar los ingredientes de la pasta de comino en un recipiente y mezclar bien. Reservar.

Pelar la calabaza y cortarla en rodajas de 1 cm de grosor. Lavar las berenjenas y cortarlas también en rodajas del mismo grosor.

Disponer estas verduras en una fuente para horno y rociarlas con el aceite de oliva y el jugo de limón. Espolvorear con el cilantro.

Disponer en la misma fuente el lomo y untarlo con la pasta de comino.

Llevar a horno máximo hasta que el lomo esté bien dorado y las verduras, cocidas.

PESCADOS Y MARISCOS

Merluza en cítrico

220 calorías por porción

Ingredientes

Filetes de merluza	8
Jugo de naranja	1 taza
Aceite	cantidad necesaria
Sal y pimienta	a gusto
Nuez moscada	a gusto

Preparación

Salpimentar los filetes y rociarlos con aceite.
Calentar una sartén antiadherente y cocinar allí los filetes a fuego fuerte.
Al darlos vuelta, rociarlos con el jugo de naranja y agregar la nuez moscada.
Seguir cocinando unos instantes más y servir con guarnición de vegetales a elección.

Pastel de lenguado

164 calorías por porción

⊙ Ingredientes

Papas	4
Ajo	4 dientes
Cebollas de verdeo	4
Zanahorias	3
Filete de lenguado	1 kg
Huevos	4
Claras de huevo	4
Ají morrón	2
Margarina light	4 cucharadas
Sal y pimienta	cantidad necesaria

⦿ Preparación

Pelar las papas y cortarlas en trozos grandes.

Pelar y machacar los dientes de ajo. Cortar las cebollas de verdeo, el ají y las zanahorias en juliana.

Cocinar las papas junto con los dientes de ajo en una olla con abundante agua. A mitad de la cocción, incorporar las cebollas de verdeo y las zanahorias. Tapar la olla y cocinar hasta que las papas estén tiernas.

Cocinar el pescado al vapor o en una olla con agua y sal. Retirarlo y procesarlo.

Hacer un puré con las papas y el ajo, y mezclarlo con el pescado. Agregar los huevos, las claras y salpimentar.

Cubrir el fondo de una cazuela pequeña de barro con la cuarta parte del puré. Sobre ella, disponer la juliana de zanahorias.

Cubrir con otra capa de puré y luego, cubrir con las cebollas de verdeo.

Agregar la tercera capa de puré y, sobre ella, una capa de juliana de ají.

Extender una última capa de puré de pescado, distribuir por encima trocitos de margarina y llevar a horno moderado durante unos diez o quince minutos, o hasta que la cubierta se dore.

Salmón picante con brunoise de tomates

480 calorías por porción

⊙ Ingredientes

Postas de salmón rosado	4
Ajo	8 dientes
Aceite de oliva	4 cucharadas
Salsa de ají picante	2 cucharadas
Jugo de limón	1 pocillo
Ciboulette picada	4 cucharadas
Tomates perita	4

⊙ Preparación

Calentar el aceite en una sartén y cocinar allí, a fuego fuerte, las postas de salmón.

Picar los dientes de ajo finamente y agregarlos a la cocción al dar vuelta las postas.

Incorporar también el jugo de limón y la salsa de ají picante.

Servir espolvoreado con la ciboulette y acompañado por el tomate perita cortado en brunoise (cubos pequeños).

Lomo con pasta
de comino / pág. 26

Pastel de carne
y calabaza / pág. 23

Terrina de ricota
y espinaca / pág. 41

Caviar de berenjena / pág. 8

Peras con crema
de limón / pág. 50

Langostinos
picantes / pág. 35

Delicia de frutilla
y limón / pág. 49

Salmón rosado picante
con brunoise de tomates / pág. 32

Pejerrey al tomillo

380 calorías por porción

⦿ Ingredientes

Filetes de pejerrey	8
Tomillo seco	2 cucharadas
Aceite de oliva	cantidad necesaria
Pimienta negra	a gusto
Ají morrón	1
Rodajas de limón	cantidad necesaria, para decorar

⦿ Preparación

Calentar el horno a temperatura moderada.
Mezclar en un recipiente el tomillo, 8 cucharadas de aceite de oliva y la pimienta negra. Untar los filetes con esta preparación.
Colocar el pescado en una fuente para horno y cocinarlo entre quince y veinte minutos (según el grosor de los filetes).
Mientras tanto, cortar en juliana el ají y rehogarlo en aceite.
Servir bien caliente, decorado con las tiritas del ají morrón rojo y rodajas de limón.

Brótola a la mostaza

550 calorías por porción

⊙ Ingredientes

Filetes de brótola	4
Ajo	4 dientes
Mostaza de grano entero	2 cucharadas
Vinagre de vino	2 cucharadas
Aceite de oliva	4 cucharadas
Sal y pimienta negra	cantidad necesaria

⊙ Preparación

Colocar los filetes en una fuente.
Aparte, en un bol, mezclar los dientes de ajo picados, la mostaza, el aceite y el vinagre de vino. Adobar con esta preparación el pescado, y dejar en reposo unos treinta minutos.
Salpimentar y cocinar en el horno a temperatura máxima durante diez minutos hasta que se dore. Servir caliente, con guarnición de arroz blanco.

Langostinos picantes

480 calorías por porción

⦿ Ingredientes

Langostinos grandes	24
Ajo	4 dientes
Ajíes picantes	2
Aceite de oliva	8 cucharadas
Perejil picado	cantidad necesaria
Sal	a gusto

⦿ Preparación

Colocar el aceite de oliva en una sartén y rehogar los dientes de ajo, previamente picados, sin que lleguen a dorarse.
Agregar los langostinos a la cocción, junto con los ajíes picantes picados.
Salar y cocinar unos diez minutos a fuego fuerte, o hasta que los langostinos estén dorados.
Servirlos espolvoreados con el perejil picado.

Brochettes de mejillones

700 calorías por porción

⦿ Ingredientes

Mejillones	1 kg
Ajo	4 dientes
Panceta ahumada magra	700 g (en un trozo)
Tomates al natural	1 lata
Perejil picado	2 cucharadas
Aceite de oliva	2 cucharadas
Vinagre	2 cucharadas
Pan rallado	cantidad necesaria
Pinches para brochette	4

⦿ Preparación

Hervir los mejillones en agua caliente hasta que se abran. Sacar las conchillas, descartando los mejillones que no se abrieron. Reservar.
Machacar los dientes de ajo y agregar el perejil picado, el vinagre, los tomates y el aceite. Procesar y reservar.
Marinar los mejillones con la mitad de la mezcla durante treinta minutos, a temperatura ambiente.
Transcurrido ese tiempo, retirarlos y pasarlos por pan rallado.
Cortar la panceta en trozos de igual tamaño, similar al tamaño de los mejillones.
Disponer los mejillones rebozados y la panceta en los pinches de la brochette de manera alternada.
Cocinar en el grill del horno durante unos ocho minutos, hasta que la panceta se dore y los mejillones estén crocantes.
Servir junto con el resto de la marinada, colocada en una salsera.

Risotto con camarones

450 calorías por porción

⦿ Ingredientes

Arroz blanco	300 g
Camarones pelados y cocidos	200 g
Choclos	2
Salsa de soja light	3 cucharadas
Caldo de verduras	1 taza
Cebollas de verdeo	6
Aceite de oliva	4 cucharadas
Sal y pimienta	a gusto

⦿ Preparación

Cocinar el arroz en una olla con abundante agua y sal hasta que esté a punto. Retirar, colar y reservar hasta que se enfríe.
Cocinar los choclos en otra olla con agua y, cuando estén cocidos, retirarlos y desgranarlos.
Mientras tanto, cortar en rodajas delgadas las cebollas de verdeo y rehogarlas en una sartén amplia, en la que se habrá calentado previamente el aceite.
Incorporar los camarones y cocinar tres o cuatro minutos más.
Agregar el arroz y verter el caldo de verduras. Cocinar a fuego moderado, revolviendo de tanto en tanto, hasta que el líquido reduzca a la mitad.
Incorporar los granos de choclo, la salsa de soja y salpimentar. Cocinar unos momentos más y servir bien caliente.

Berenjenas rellenas

100 calorías por porción

⊙ Ingredientes

Berenjenas	4
Pan integral	4 rebanadas
Leche descremada	2 tazas
Huevos	4
Perejil picado	4 cucharadas
Pan rallado	4 cucharadas
Queso Port Salut light	4 tajadas
Sal y pimienta	a gusto

⊙ Preparación

Pinchar la cáscara de las berenjenas y disponerlas enteras en una placa para horno. Cocinarlas hasta que estén tiernas pero sin que se rompan.
Retirarlas del horno, cortarlas en forma longitudinal y, con la ayuda de una cuchara, extraer la pulpa.
Remojar la miga de pan integral en leche, exprimirla e incorporarla a la pulpa de berenjena. Incorporar los huevos, el perejil picado y salpimentar.
Rellenar las mitades de berenjena y colocarlas en una fuente para horno. Espolvorear con el pan rallado y distribuir el queso, previamente desmenuzado.
Gratinar en el horno y servir caliente.

Soufflé de arroz integral

220 calorías por porción

⊙ Ingredientes

Arroz integral	150 g
Espinaca	1 atado
Choclos	3
Queso blanco descremado	100 g
Claras de huevo	4
Aceite de oliva	4 cucharadas
Sal y pimienta	a gusto
Nuez moscada	a gusto

⊙ Preparación

Lavar el arroz con agua fría y cocinarlo hasta que esté tierno. Retirarlo y dejarlo enfriar.
Cocinar la espinaca en una olla con muy poca agua. Escurrirla bien y procesarla.
Cocinar los choclos en una olla con agua, retirarlos y desgranarlos.
Mezclar en un bol la espinaca con el arroz, los granos de choclo y el queso blanco. Salpimentar y condimentar con la nuez moscada.
Batir las claras a punto nieve e incorporarlas a la preparación, con movimientos suaves y envolventes.
Colocar el soufflé en una fuente ligeramente aceitada.
Hornearlo hasta que esté bien dorado.

Terrina de ricota y espinaca

210 calorías por porción

⊙ Ingredientes

Ricota descremada	1/2 kg
Claras de huevo	4
Huevo	1
Cebollas de verdeo	4
Cebollas	2
Espinaca cocida y picada	2 tazas
Queso blanco descremado	200 g
Sal y pimienta	a gusto
Nuez moscada	a gusto
Fécula de maíz	2 cucharadas al ras
Polvo para hornear	1 cucharadita
Aceite de oliva	cantidad necesaria

⊙ Preparación

Colocar la ricota en un bol, junto con las claras y la fécula de maíz, previamente disuelta en agua. Agregar el polvo para hornear y el queso. Condimentar la preparación con la sal, la pimienta y la nuez moscada. Mezclar y reservar.
Picar las cebollas y rehogarlas junto con las cebollas de verdeo.
Retirar y mezclar con la espinaca, y el huevo. Salpimentar.
Aceitar ligeramente una budinera y cubrir la base con la preparación de ricota.
Aplastar la preparación con una espátula para que quede bien compacta y cubrir con la de espinaca.
Cocinar a fuego mínimo unos treinta minutos.

Salteado oriental de carne y vegetales

233 calorías por porción

⦿ Ingredientes

Bifes de nalga	1/2 kg
Salsa de soja	1 pocillo
Ajo	4 dientes
Choclos desgranados	3
Aceite	10 cucharadas
Chauchas cocidas	300 g
Jerez seco	1 pocillo
Ají molido	1 cucharadita
Ají morrón	1
Cebollas de verdeo	4
Fécula de maíz	1 cucharadita

⊙ Preparación

Cortar la carne en tiritas.
Mezclar la salsa de soja con una cucharada de agua, el jerez, los dientes de ajo picados y el ají molido.
En un bol, incluir la carne y la preparación anterior. Dejarla macerar durante treinta minutos. Transcurrido ese lapso, retirar la carne de la marinada y reservar el líquido.
Cortar el ají en fina juliana y las cebollas de verdeo, en rodajas delgadas.
Calentar el aceite en una sartén o wok y cocinar la carne, a fuego fuerte.
Incorporar la juliana de ají y las cebollas de verdeo y rehogar unos instantes.
Agregar las chauchas y los granos de choclo, y seguir cocinando tres o cuatro minutos.
Agregar el líquido de la marinada en el que se habrá disuelto previamente la fécula de maíz.
Cocinar hasta que el líquido espese y servir de inmediato.

Alcauciles en escabeche

700 calorías por porción

⊙ Ingredientes

Alcauciles	4
Jugo de limón	1 pocillo
Zanahorias	4
Hojas de laurel	8
Ajo	4 dientes
Cebollas	2
Vinagre	2 tazas
Aceite	2 tazas
Caldo de verduras	2 tazas
Sal y pimienta	a gusto

⊙ Preparación

Limpiar los alcauciles. Cortarles el tronquito y las puntas. Pasarlos por agua con jugo de limón para blanquearlos.
Cortar en juliana las zanahorias y en aros delgados, las cebollas. Picar los dientes de ajo.
Colocar en una olla las zanahorias, los dientes de ajo, las cebollas y las hojas de laurel.
Encima, ubicar los alcauciles.
Salpimentar y verter el vinagre, el aceite y el caldo. Cocinar a fuego lento con la olla tapada, unos veinte minutos.

Farfalle en salsa mediterránea

300 calorías por porción

⦿ Ingredientes

Farfalle	250 g
Tomates perita maduros	4
Filetes de anchoa en salmuera	3
Ajo	4 dientes
Albahaca	3 ó 4 tallos
Ají molido	1 cucharadita al ras
Aceite de oliva	4 cucharadas

⦿ Preparación

Pelar los tomates y picarlos en forma gruesa. Pelar y picar los dientes de ajo. Picar también los filetes de anchoa, y trocear con los dedos las hojas de albahaca, reservando dos o tres para decorar.
Cocinar los farfalle en una olla con abundante agua, hasta que estén al dente.
Mientras tanto, calentar el aceite en una sartén y rehogar allí el ajo picado. Agregar los filetes de anchoa picados, revolver unos momentos y luego incorporar los tomates y el ají molido.
Verter un chorrito de agua, revolver y cocinar dos o tres minutos más.
Retirar la sartén del fuego y espolvorear la salsa con las hojas de albahaca troceadas.
Disponer los farfalle en una fuente, salsear y decorar con las hojitas de albahaca reservadas.

Farfalle es la denominación, en idioma italiano, de la pasta conocida como "moñitos".

Tagliatelle gratinados

300 calorías por porción

⊙ Ingredientes

Tagliatelle	250 g
Espinaca	300 g
Queso blanco descremado	50 g
Queso Port Salut light	4 tajadas
Ajo	1 diente
Cebollas	2
Aceite de oliva	6 cucharadas
Sal y pimienta	a gusto

Tagliatelle es la denominación, en idioma italiano, de los fideos conocidos como "cintita" o "caseritos".

⊙ Preparación

Lavar las espinacas y retirarles los tallos. Cocinarlas en una olla con muy poca agua, hasta que estén tiernas. Retirar, quitar el exceso de líquido, picar groseramente y reservar.

Picar finamente las cebollas y el ajo, y rehogarlos en una sartén en la que se habrá calentado el aceite.

Cuando la cebolla esté transparente, agregar la espinaca picada, salpimentar, revolver y cocinar unos momentos más.

Retirar la sartén del fuego y agregar el queso blanco. Mezclar y reservar.

Cocinar los tagliatelle en una olla con abundante agua. Retirarlos cuando estén al dente.

Disponer los tagliatelle en una fuente para horno, rociarlos con un chorrito de aceite de oliva y, sobre ellos, distribuir el rehogado de cebolla, ajo y espinaca.

Cubrir con las tajadas de queso y llevar a horno fuerte hasta que el queso se haya derretido.

Delicia de frutilla y limón

105 calorías por porción

Ingredientes

Frutillas	750 g
Queso blanco descremado	2 tazas
Ricota descremada	2 tazas
Edulcorante líquido	a gusto
Limones	4
Gelatina sin sabor	2 sobres
Claras de huevo	4

Preparación

Batir la ricota junto con el queso blanco descremado hasta obtener una crema homogénea.

Agregar la ralladura, el edulcorante y el jugo de los limones.

Preparar la gelatina y mezclarla con la preparación anterior.

Batir las claras a punto nieve e incorporar a la preparación de queso con movimientos suaves y envolventes.

Cortar las frutillas en láminas y disponerlas en moldes individuales, llenando toda la base. Rellenar con la mousse de limón y llevar a la heladera durante tres horas.

Desmoldar y decorar con láminas de frutillas.

Peras con crema de limón

140 calorías por porción

⦿ Ingredientes

Peras	4
Margarina light	100 g

Salsa

Queso blanco descremado	8 cucharadas
Yogur natural	4 cucharadas
Leche descremada	4 cucharadas
Edulcorante líquido	a gusto
Jugo de limón	4 cucharadas
Hojas de menta	para decorar

⦿ Preparación

Pelar las peras y cortarlas en finas tajadas, sin llegar al cabo. Abrirlas en abanico cuidadosamente.

Fundir la margarina en una sartén amplia y disponer allí las peras. Cocinarlas durante unos minutos y retirar.

Preparar la salsa mezclando todos los ingredientes y llevar a la heladera.

Acomodar cada pera en un plato, acompañada de una porción de la crema. Decorar con hojas de menta.

Natillas de manzana

218 calorías por porción

Ingredientes

Manzanas verdes	4
Leche descremada	1 l
Edulcorante líquido	a gusto
Queso blanco descremado	400 g
Canela	a gusto
Hojas de menta	para decorar

Preparación

Pelar las manzanas y rallarlas.
Calentar la leche en una olla y, antes de que rompa el hervor, agregar las manzanas ralladas. Cocinar la preparación a fuego lento hasta que hierva.
Retirarla del fuego, pasarla por el tamiz y mezclarla con el queso blanco y el edulcorante. Dejarla enfriar y servirla en recipientes individuales, espolvoreadas con canela y decoradas con hojas de menta.

Postre de vainilla y naranjas

90 calorías por porción

⦿ Ingredientes

Leche descremada	1 y 1/2 tazas
Esencia de vainilla	1 chorrito
Edulcorante	a gusto
Fécula de maíz	1 cucharada al ras
Naranjas	2
Hojas de menta	para decorar

⦿ Preparación

Diluir la fécula en un pocillo de leche.
Verter el resto de la leche en una olla y llevarla a fuego moderado.
Cuando hierva, bajar el fuego a mínimo y agregar la leche con la fécula, y la esencia de vainilla.
Cocinar sin dejar de revolver hasta que espese.
Retirar, endulzar a gusto y reservar.
Pelar las naranjas, cortarlas en gajos y retirarles el hollejo y las semillas.
Cortar los gajos en trocitos y distribuirlos en el fondo de cuatro copas de postre.
Verter sobre ellos la crema de vainilla y decorar con hojitas de menta.

Budín de durazno

90 calorías por porción

Ingredientes

Queso blanco descremado	200 g
Yogur de vainilla descremado	100 g
Mermelada diet de durazno	16 cucharadas
Ralladura de cáscara de limón	1 cucharada
Gelatina sin sabor	1 sobre

Preparación

Mezclar la mermelada con el queso blanco y el yogur.
Agregar la ralladura de cáscara de limón y la gelatina, previamente disuelta en un pocillo de agua caliente.
Revolver y verter en cuatro moldes individuales.
Llevar a la heladera de tres a cuatro horas, desmoldar y servir.

Budín de ricota y peras

180 calorías por porción

⊙ Ingredientes

Ricota descremada	500 g
Peras	2
Gelatina sin sabor	1 sobre
Ralladura de cáscara de naranja	1 cucharada
Leche en polvo descremada	1 cucharada colmada
Esencia de vainilla	unas gotas
Edulcorante líquido para cocinar	a gusto
Hojas de menta fresca	para decorar

⊙ Preparación

Pelar las peras y rallarlas con la parte más gruesa del rallador, o cortarlas en cubitos muy pequeños (brunoise). Reservar.

Diluir la gelatina sin sabor en un pocillo de agua caliente.

En un bol, mezclar la ricota con la leche en polvo, la ralladura de cáscara de limón, la esencia de vainilla, el edulcorante y la gelatina sin sabor disuelta.

Incorporar la ralladura o el cubeteado de peras, revolver bien y verter en un molde para budín.

Llevar a la heladera hasta que esté bien firme, y servir en porciones, decoradas con las hojas de menta.

Espuma de cacao

110 calorías por porción

⦿ Ingredientes

Cacao en polvo sin azúcar	100 g
Ricota descremada	250 g
Claras de huevo	3
Edulcorante apto para cocinar	3 cucharadas
Gelatina sin sabor	1 sobre
Canela	a gusto

⦿ Preparación

Mezclar el cacao con la ricota, y agregar el edulcorante.
Diluir la gelatina sin sabor en medio pocillo de agua caliente y agregarla a la preparación de ricota.
Batir las claras a punto nieve bien firme e incorporarlas a la mezcla de ricota, por partes y con movimientos suaves y envolventes.
Distribuir en copas y llevar a la heladera tres o cuatro horas antes de servir.
Espolvorear cada copa con canela, justo antes de llevarlas a la mesa.

Glosario de términos

Oliva (aceite): Árbol con frutos en drupa ovoide, verde, con el hueso grande y duro, sabrosos como comestible y de los cuales se extrae el aceite.

Aceituna negra: Oliva recolectada madura y conservada en aceite o salmuera.

Acelga: Planta hortense de hojas grandes, aplanadas y carnosas, cultivada como verdura.

Ají: Pimiento, guindilla, achú. Fruto de una planta de América meridional.

Ají molido: Pimiento rojo picante seco y molido, que se usa como condimento.

Ají picante: Chile. Pimiento pequeño y de sabor sumamente picante.

Ajo: Planta de la familia de las Liliáceas, de 30 a 40 cm de altura, con hojas ensiformes muy estrechas y flores pequeñas y blancas. El bulbo es también blanco, redondo y de olor fuerte y se usa como condimento.

Albahaca: Alábega, alfabega, alfavaca, basílico, hierba de vaquero.

Alcaucil: Alcaucí, alcachofa. Hortaliza de inflorescencia con fondo y brácteas comestibles.

Anchoa: Anchova, boquerón, bocarte, Camaiguana. Pescado comestible. Boquerón curado en salmuera con parte de su sangre.

Apio: Celeri, arracacha. Tubérculo originario de los Andes.

Arroz: Casulla, macho, palay. Planta originaria de la India Oriental. Crece en terrenos muy húmedos y su fruto es un grano oval, harinoso y blanco, muy rico en almidón, al que se le quita la envoltura y se pule.

Berenjena: Alción, pepino morado, berinjuela. Planta y su fruto comestible, oval o alargado y carnoso, de distinto color según la variedad, del violeta oscuro al blanco.

Bife: Bisté, bistec, chuleta, costeleta.

Brótola: Pescado marino de carne muy delicada y apreciada.

Calabaza: Zapallo, bulé, cachampa, liza, abóbora, auyama, ayote, chayote, pipiane, güicoy. Fruto de la calabacera muy variado en cuanto a tamaño, forma y color, y con multitud de semillas. Planta de calabazas.

Camarón: Gamba, chacalín, quisquilla, cámaro, pequeño crustáceo marino comestible.

Canela: Corteza de varias plantas aromáticas, especialmente del canelo. Condimento en rama o en polvo para aromatizar dulces y otros manjares.

Cebolla: Hortaliza de bulbo comestible y el bulbo de esa planta.

Cebolla de verdeo: Cebolla china, cebolleta, cebolla en rama, cebolla junca, cebollita de Cambray, cebolla de almácigo.

Ciboulette: Cebolleta, cebollín, cebollino, cebollón chino.

Cilantro: Culantro, coriandro, perejil chino, hierba aromática usada como condimento.

Comino: Kümmel. Cuminum cynimum, de las umbelíferas que comprende unas 2.500 especies. Las flores pueden ser blancas o rosadas. Se puede usar entera o molida.

Champiñón: Callampa, seta, hongo. En la Argentina se refiere a una de las variedades de setas/hongos, no al término general. La variedad que corresponde a ésta es champignon de París.

Chaucha: Bajorcas, judía verde, vainita. También llamado "vainica", se trata de un frijol o poroto pequeño, que se consume o no en su vaina o chaucha. Puede ser de color verde más o menos gruesa o larga y achatada o redondeada o no, dependiendo el origen y la variedad. Se consume cocida en guisados, salteados, guarniciones o en ensaladas.

Choclo: Chilote, elote, jojote, jojoto, marlo, mazorca de maíz, panocha, panoja. Esta mazorca se presenta cocida y, generalmente, aderezada.

Durazno: Melocotón, pérsico, fruto del duraznero. Árbol también llamado duraznero o melocotonero.

Vainilla (esencia): Planta de la familia de las orquídeas propia de las regiones tropicales de América, Asia y África. Fruto de esta planta. Se presenta seca, en vaina de color negro rojizo, en rama, líquida o molida y es muy aromática.

Espárrago: Brote tierno, turión o yema de la esparraguera, de tallo blanco y cabezuela morada, que se utiliza como comestible delicado.

Espinaca: Planta hortense de hojas radicales en roseta que se comen cocidas o crudas en ensalada.

Fécula de maíz: Almidón de maíz, maicena.

Frutilla: Fresa, madroncillo, morango. Especie de fresón originario de Chile.

Gelatina sin sabor: Cola de pescado.

Hinojo: Finocchio, funcho. Planta aromática, de hojas recortadas cuyo bulbo se come cocido o en ensalada y la base de los pecíolos de sus hojas se utilizan como condimento.

Jamón cocido: Jamón York. Pernil puesto a cocer.

Jerez: Vino blanco, seco, de fina calidad y de alta graduación alcohólica. Es originario de Jerez de la Frontera, en España. Entre sus variedades figura el amontillado.

Langostino: Langostín. Especie de langosta pequeña o camarón grande, de color grisáceo que se vuelve rojo por la cocción, cuya carne es sabrosa y apreciada.

Laurel: Dafne. Planta cuyas hojas coriáceas se utilizan como aromatizante muy común en los platos populares como la salsa de estofado.

Lenguado: Lonja, pescado de mar chato,

casi plano, de boca lateral y ojos a un mismo lado del cuerpo, de carne sumamente apreciada.

Limón: Cintrón. Fruto del limonero, ovoide, de color amarillo pálido y de sabor ácido.

Lomo: Solomillo, filete, diezmillo, músculo que es la parte interna de los bifes angostos, parte inferior y central de la espalda del animal.

En los cuadrúpedos, todo el espinazo, desde la cruz hasta las ancas.

Margarina: Manteca o mantequilla de origen vegetal.

Matambre: Malaya, vaquero. Capa de carne que se saca de entre el cuero y el costillar de vacunos y porcinos.

Mejillón: Cholga, chorito, choro. Molusco lamelibranquio marino, con la concha formada por dos valvas simétricas, convexas, casi triangulares, de color negro azulado por fuera, algo anacaradas por dentro, y de unos cuatro centímetros de longitud. Tiene dos músculos aductores para cerrar la concha, pero el anterior es rudimentario. Vive asido a las rocas por medio de los filamentos del biso.

Menta: Hierba Santa, hierbabuena, yerbabuena. La menta es una hierba de aroma y sabor refrescante originaria de las zonas templadas europeas, oriente, norte de África y Norte América. Existen más de 20 variedades conocidas. En muchos países hierbabuena es un sinónimo y en otros se conocen como plantas muy diferentes; la realidad es que la hierbabuena es una de las clases de menta. Algunas de las variedades son muy aromáticas y picantes, en cambio otras son puramente mentoladas de agradable sabor fresco en la boca.

Merluza: Pescada, pescado marino comestible, de carne sabrosa muy apreciada, abundante en el mar argentino. Se pesca activamente en todos los mares.

Mermelada: Conserva hecha de fruta cocida con azúcar o miel.

Mostaza: Jenable, mostazo, jenabe. Salsa o condimento hecho con harina de las semillas de la planta de la mostaza y que enriquece el sabor de ciertos alimentos. Planta de la mostaza. Semilla de esta planta.

Mozzarella: Flor di latte. Quesillo italiano de pasta blanda hecho con leche de vaca o de búfalo.

Nalga: Músculo grácil del cuarto trasero de la res, parte superior de los muslos.

Naranja: Fruto comestible del naranjo, de color amarillento rojizo, es decir, anaranjado, de pulpa en gajos, dulce y muy jugosa. Su forma es muy variada: redonda, achatada, ovalada, piriforme.

Nuez moscada: Macis. Especia originaria de las islas Molucas, fruto de la mirística, de forma ovóidea, con una almendra interior que se usa como condimento y con la que se aromatiza sobre todo el puré de papas.

Orégano: Amáraco, mejorana, sampsuco.

Hierba muy aromática de origen mediterráneo. Sus hojas pueden usarse tanto frescas como secas.

Palta: Abacate, aguacate, avocado, cura, petro. Fruto del palto, de pulpa espesa y perfumada que es muy usado tanto como fiambre como para postre o en ensaladas, salsas y sopas.

Panceta: Bacon, cuito, larda de tocino, lardo, tocineta, tocino.

Papa: Patata. Voz quechua que designa un tubérculo comestible americano.

Peceto: Pecheto. Músculo de la parte posterior del cuarto trasero de la res.

Pechuga: Pecho de ave.

Pejerrey: Pescado de mar, de carne delicada y muy apreciada.

Pepino: Cohombro, planta herbácea de fruto comestible jugoso. Fruto de esta planta, pulposo, cilíndrico, verde o amarillo por fuera y blanco por dentro con multitud de pepitas.

Pera: Fruto comestible del peral, pomo de forma cónica, jugoso y dulce.

Perejil: Parsley. Hierba muy perfumada, de agradable sabor y color verde, utilizada como condimento para aromatizar y dar sabor a diferentes preparaciones en el mundo entero.

Pimentón: Ají o pimiento americano, seco y molido.

Polvo para hornear: Polvo leudante.

Posta: Tajada de carne, pescado, etc.

Puerro: Ajo porro, poro, porro.

Ricota: Cuajada, requesón, quesillo, majo. Queso fresco de origen italiano con 30% a 40% de materia grasa. Se obtiene de la cuajada de leche de vaca, cabra u oveja. Guarda la forma del molde. Tiene sabor ligeramente acidulado. Sirve para platos salados o dulces. También, ricotta.

Romero: Rosemary, rosmarino. Hierba aromática oriunda del Mediterráneo, muy difundida en América y Europa. Se utilizan sus hojas, ya sea frescas o secas, enteras o molidas. Su sabor es intenso y sumamente característico.

Salmón: Pescado comestible, emigrante, de río y mar, parecido a la trucha, de carne muy apreciada, que en el salmón de río es rosada y en el de mar es blanca.

Salmuera: Solución aromatizada de sal gruesa, azúcar, salitre y agua para conservar ciertos alimentos.

Salsa de soja: Salsa de soya, sillao.

Salsa golf: Salsa mayonesa a la que se ha adicionado salsa ketchup.

Tomate perita: Tomate (jitomate) pequeño en forma de pera, muy usado en salsas.

Tomillo: Chascudo, satureja. Hierba de origen mediterráneo, es un arbusto silvestre de unos 40 cm de alto, muy difundido en la cocina europea. Es uno de los componentes del Bouquet garni (ramo de hierbas aromáticas). Existen muchas variedades diferentes en su aspecto y aroma, tales como tomillo de limón, tomillo plateado, tomillo de naranja en flor, tomillo silvestre, tomillo verde de Jamaica, etc. El más utilizado es el tomillo común (en inglés, garden thyme), Thymus vulgaris, de sabor intenso, se vende fresco o seco.

Yogur: Leche cuajada. Variedad de leche fermentada, que se prepara reduciéndola por evaporación a la mitad de su volumen y sometiéndola después a la acción de un fermento denominado maya.

Zanahoria: Azanoria, cenoura.

OPERACIONES PARA OBTENER CORRESPONDENCIAS

Onzas a gramos →	multiplicar la cantidad expresada en onzas por 28,3 para obtener la correspondencia en gramos.
Gramos a onzas →	multiplicar la cantidad expresada en gramos por 0,0353 para obtener la correspondencia en onzas.
Libras a gramos →	multiplicar la cantidad expresada en libras por 453,59 para obtener la correspondencia en gramos.
Libras a kilogramos →	multiplicar la cantidad expresada en libras por 0,45 para obtener la correspondencia en kilogramos.
Onzas a mililitros →	multiplicar la cantidad expresada en onzas por 30 para obtener la correspondencia en mililitros.
Tazas a litros →	multiplicar la cantidad expresada en tazas por 0,24 para obtener la correspondencia en litros.
Pulgadas a centímetros →	multiplicar la cantidad expresada en pulgadas por 2,54 para obtener la correspondencia en centímetros.
Centímetros a pulgadas →	multiplicar la cantidad expresada en centímetros por 0,39 para obtener la correspondencia en pulgadas.

Índice

Diabetes y alimentación 3

ENTRADAS Y SOPAS

Ensalada caprese 5
Soufflé de acelga 6
Paltas rellenas 7
Caviar de berenjena 8
Rosetas duquesa 9
Copa de camarones 10
Salpicón criollo 11
Sopa de tomates con hierbas 12
Sopa crema de espárragos 13
Sopa rápida de pepinos 14
Gazpacho 15

CARNES BLANCAS Y ROJAS

Guiso rápido de pollo,
arroz y pimentón 17
Pechugas a la manzana 18
Peceto marinado 20
Mini matambre clásico 22
Pastel de carne y calabaza 23
Carne estofada con champiñones 24
Lomo con pasta de comino 26

PESCADOS Y MARISCOS

Merluza en cítrico 29
Pastel de lenguado 30
Salmón rosado
con brunoise de tomates 32

Pejerrey al tomillo 33
Brótola a la mostaza 34
Langostinos picantes 35
Brochettes de mejillones 36
Risotto con camarones 37

VERDURAS Y PASTAS

Berenjenas rellenas 39
Soufflé de arroz integral 40
Terrina de ricota y espinaca 41
Salteado oriental de carne y vegetales 42
Alcauciles en escabeche 44
Farfalle en salsa mediterránea 45
Tagliatelle gratinados 46

POSTRES

Delicia de frutilla y limón 49
Peras con crema de limón 50
Natillas de manzana 51
Postre de vainilla y naranjas 52
Budín de durazno 53
Budín de ricota y peras 54
Espuma de cacao 55

Glosario de términos 57